제목을 입력하세요. (1)

제목을 입력하세요. (1)

발 행 | 2024년 1월 18일
저 자 | 김진현
펴낸이 | 한건희
펴낸곳 | 주식회사 부크크
출판사등록 | 2014.07.15.(제2014-16호)
주 소 | 서울특별시 금천구 가산디지털1로 119 SK트윈타워 A동 305호
전 화 | 1670-8316
이메일 | info@bookk.co.kr

ISBN | 979-11-410-6758-8

제목을 입력하세요. (1)

CONTENT

제1화 타로집

내 첫 연애의 마지막은 겨울 이었다.함박눈이 내리던 날,전 남 자친구에게 이별을 통보받았다. 첫 만남에는 그가 먼저 좋아했 었고 마지막만남 까지는 내가 그를 좋아했다. 그렇게 1년의 내 첫 연애는 눈을 맞으며 끝나버렸다. 떠나가는 그 모습이 얼어붙 은 가시 같아서 잡을 수 없었다.

너무 서럽게 울면서 시내에서 집에 가려고 버스 정류장을 가 던 길에 어떤 사람과 부딪혀 넘어졌다. 다리가 아팠지만 내가 앞을 보지 않아서 생긴 일이니, 사과하며 일어났다.그러자 그 사람은 내 사과에 답을 하지 않고는

"새로 오픈한 타로 집입니다오시면 무료로 타로 봐 드릴게요"

전단을 주며 사라져 버렸다. 이런 걸 잘 믿지 않는 성격이지만, 오늘 너무 속상해서 기분을 좀 돌리며 재미로 보자는 생각으로 전단 속 타로 집을 찾아 나섰다.

타로 집은 시내의 구석에 있었고 안으로 들어갔을 땐 사장님 말고는 아무도 없었다. 사장님은 나를 보자마자

"방금 이별하고 온 것 같네요."

사장이 날 약 올리는 것 같다.

"미안해요 앉아요, 연애운 봐줄 테니까."

기분이 좋진 않지만, 혹시나 하는 마음에 입을 닫고 있었다.

"눈을 감고 미래에 대한 애인을 그리며 카드 6장 뽑아요, 신중하게 골라요."

이게 뭐라고 신중하게 골라야 할까? 눈을 감고 나도 모르게 전 남자친구를 생각하며 6장을 다 뽑았다. 사장이 카드를 뒤집으면서 헛웃음을 쳤다.

"내가 미래에 대한 애인을 그리라 그랬는데 전 남자친구 생각했지?"

"네?"

능글맞던 사장님은 사라지고 다른 사람이 앉아 있는 것 같았다.

"너 재회는 꿈도 꾸지만, 너 연애 할 때도 그 자식 때문에 힘들었지? 이성이건 뭐건"

황당했지만 맞는 말이다. 항상 나는 이성 문제로 전 남자친구와 다투었고 헤어지는 순간까지도 그의 핸드폰에선 '하얀' 이라

는 이름으로 전화가 오고 있었다. 다시 생각해 보면 행복했던 1년이 아니라 내가 널 붙잡고 있었던 1년이 아닌가 싶었다.타로 집 사장님께선 머지않아 내게 잘 맞는 연인이 생길 거라 말씀하셨다. 그렇게 나는 타로 집을 나와서 땅바닥을 보며 걸었다. 믿어도 되나 싶기도 했고, 거짓말이라는 거 알지만 그래도 한번, 처음이자 마지막으로 믿어 보기로 했다.

제2화 봄 그리고 전학생

그렇게 타로 집을 갔다와서 3개월 뒤, 타로집에 대한 기억이 사라질 때쯤 개학이 돌아왔다.2학년3반,내가 새로 배정받은 반. 문을 열었을 땐 친한 친구들이 있었고, 날 반겼다.

친구들과 대화를 나누고 있었는데,담임선생님이 들어오셨다.

첫인사를 마치고 담임 선생님께선 전학생이 온다는 소식을 알려 주셨다. 새힉기 첫날부터 전학생이라니, 반은 한순간에 떠들썩해졌다. 3분 채 지나지 않아서 문이 쾅 하고 열렸다.

떠들썩 한 반은 조용해졌고,앞문으로 전학생이 들어왔다. 칠판에 선생님이 전학생 이름은 적으셨다. 이호혁.전학생 이름은 '이호혁'이다. 나는 이호혁을 빤히 쳐다보았다. 그러다 눈이 마주쳐서 나도 모르게 눈을 피해버렸다. 그러자 이호혁은 눈살을 찌푸리곤 고개를 돌렸다. 그는 조용하고 차분한 사람 같았다. 이호혁은 내 앞에 앉았다. 나는 그의 뒷모습을 빤히 쳐다봤다. 그러자 이호혁은 뒤를 돌아 나를 쳐다보곤

"왜 자꾸 쳐다봐, 사람 거슬리게."

그러곤 다시 앞을 바라봤다. 어안이 벙벙했다. 나는 너무 어이가 없어서 친구에게 얼굴을 찡그리며 표정으로 말을 했다.

"쟤 뭐야..?"

조회가 끝나고 반 애들, 다른 반 애들도 이호혁의 책상을 둘러쌌다. 반은 한순간 시끄러워졌고, 이 순간은 점심시간까지 이어졌다. 이호혁은 반 애들과 다른 반 애들이 거슬렸는지 밖으로 나갔다. 이호혁이 나간 뒤에도 반은 떠들썩했다.

나는 떠들썩한 분위기를 좋아하지 않는 편이라 학교 뒤에 있는 정원에 들어가는 벤치에 앉아 바람을 쐤다. 바람이 나를 가르는 게 기분이 좋고 시원해서 눈이 반쯤 감겼다. 바람을 느끼며 졸고 있었는데, 어디서 "야옹"하는 소리가 들려서 눈이 떠졌다.

노란색과 흰색이 섞인 고양이가 화단에 심어진 주황색 튤립 사이에서 뒹굴뒹굴하면서 있었다. 귀여운 걸 못 참는 나는 고양이의 몸짓과 손짓을 핸드폰으로 담아냈다. 고양이는 자기 할 일이 다 끝난 것처럼 일어나 정원으로 들어갔다. 아쉬운 마음에 고양이를 따라갔다.

고양이를 따라가 정원 안쪽에 다 왔을 때, 벤치에 누군가 있었

다. 그 사람이 앉아있는 벤치에는 갈색 고양이가 있었는데 그 사람 무릎 위에서 엎드려서 자고 있었다. 벤치에 앉아있는 사람이 누군지 궁금해서 숨어서 쳐다봤다.

벤치에 앉아있던 사람은 이호혁이었다. 그 차가운 모습은 어디에 버렸는지, 사랑스럽단 얼굴을 하고선 사진을 찍고 있었다. 이를 진귀하게 보고 있었다. "야옹" 밑에 있던 노란색 고양이가 내 다리를 감싸며 울었다. 그러자 이호혁과 눈이 마주쳤다.

나는 뻘쭘하게 나와서 눈치를 보며 말했다.

"미안해,일부로 보려고 한 건 아니었어."

변명을 하듯이 말을 해버렸다. 이호혁은 귀가 빨개지고 부끄러운지 고개를 떨궜다.

"고양이 좋아해?나도 고양이 좋아하는데."

"어."

이호혁의 말을 끝으로 침묵이 흘렀다. 이 기나긴 침묵을 깨려고 입을 열었는데 예비 종소리가 울렸다. 이호혁은 기다렸다는 듯 성급하게 일어나서는

"말하고 다니지 마" 라고 하며 정원 밖으로 나갔다.

"저 싸가지가?"

싫기도 했지만, 빨개진 귀가 생각나 나도 모르게 웃음이 나왔다. 나는 뒤늦게 이호혁 뒤를 밟으며 반으로 돌아갔을 땐 여전히 이호혁을 중심으로 여전히 시끄러웠고 친구들이 나를 반겨주었다.

친구들에게 아까 정원에서 있었던 일을 너무 말하고 싶었지

만, 이호혁이 한 말이 걸리기도 하고 나만 그의 이런 모습을 안다는 생각에 내심 기뻐서 친구들에겐 비밀로 하기로 했다.

시계가 3시 40분을 가리키고 학교가 끝났다. 이호혁이 가방을 싸서 반을 나가고, 계단을 내려가 운동장을 지나 교문을 빠져나가는 걸 반 창문에 기대 지켜보았다. 그리고 나도 가방을 싸서 학교를 빠져나왔다. 길을 걸으며 오늘 개학 첫날 어떤 일들이 있었는지 머릿속으로 정리하며 신호등 앞에 멈춰 섰다.

"이호혁 그 소갈머리가 고양이 한데는 관대하더라..."

무슨 욕심인지는 모르겠지만 갑자기 이호혁과 친해지고 싶다는 생각이 들었다. 학교에서 있었던 일 때문인 걸까, 아니면 붉어진 귀가 귀엽다고 느껴서일까..

"어라 귀엽다고?.. 에이 오늘 전학해 왔는데 무슨.. 착각이겠지.."

생각을 단순하게 정리하고 빨리 집으로 돌아갔다.

씻고 침대에 누우니 어느덧 시계는 5시 32분을 가리키고 있었다.

부모님은 일하러 가셔서 집에 안 계시고 언니는 친구를 만나러 가 집에는 나 혼자뿐이다.

"고요하다."

소리라곤 집 밖 차 다니는 소리, 어린아이들이 하하 호호하며 뛰어다니는 소리뿐이다. 그렇게 밖의 소리를 들으며 스르륵 눈이 감겼다.

눈을 떴을 땐 난 시골에 와있었다. 어딘지 몰라서 두리번거리고 있었는데, 다리에서 부드러운 느낌이 났다.밑을 보니 학교 정원에서 본 갈색 고양이가 있었다. 반가운 마음에 손을 대려고 하니 고양이는 손으로 내 손을 때리며 거부했다.

하지만 여기서 포기할 내가 아니다. 어떻게서든 만지려고 혼자서 이상한 짓들을 많이 했다. 그러니 고양이가 포기한 듯 만지게 해줬고 내 옷깃을 물더니 어딜 끌고 가려는 시늉했다.

"자기를 따라오라는 건가....."

의문을 품고 고양이를 따라갔다. 계속 걷고 걸어 도착한 곳은 마을과 떨어져 있는 외진 곳에 있는 창고였다. 고양이는 창문을 통해 들어갔고, 나도 그 비좁은 창문으로 들어갔다. 창고에는 오래된 물건들이 많았고 먼지도 많이 쌓여있었다. 고양이는 구석에 있는 상자에 들어갔다.고양이를 보러 상자에 다가갔다.박스에는 태어난 지 2~3개월 되어 보이는 새끼 고양이가 있었다.

"요 녀석 눈이 멀 둥 말 둥 한거보니 어미 말 안 듣게 생겼네.."

하지만 그런데도 새끼 고양이가 너무 예뻐서 나도 모르게 들어서 품에 한참을 꼭 안았다.

"야."

"으응...뭐야"

놀라서 주변을 둘러보았다. 주변엔 고양이 빼곤 없었다.

"ㅈ유.."

"김지유!"

"후 헉..."

"무슨 꿈을 꾸는데 이렇게 안 일어나?"

시계를 보니 8시 16분이었고, 일을 마치고 온 엄마가 날 깨웠다.거실을 나가보니 언니는 언제 들어온 건지 소파에 앉아서 티비를 보고 있었고 아빠는 저녁을 드시고 있었다. 나도 아빠 옆에 앉아서 저녁을 먹었고, 먹은후에는 아까 꿈에서 봤던 어미 고양이와 새끼 고양이가 생각나서 엄마에게 얘기했다.엄마는 귀여운 개꿈이라며 하하 웃고는 넘어갔다.

진짜 개꿈인가 해서 인터넷에 해몽 풀이를 검색했다.

"이쁜 새끼고양이를 안는 꿈..."

작년겨울에 갔었던 타로 집이 생각났다. 꿈해몽은 곧 머지않아 애인이 생기는 꿈이었다. 타로 풀이도 대충 해몽과 비슷 이를 가족에게 말했지만, 언니도,아빠도 별 꿈 아니라고 비웃으며 각자 자기 방으로 들어갔다. 이후 거실에 나만 덩그러니 혼자 남았고, 나는 언니와 아빠의 비웃음에 기분이 상해 별 꿈 아니라고 여기고 방에 들어가서 잠을 잘 준비를 했다.

밤새 밖에서 고양이들이 영역싸움이라도 한 듯 시끄럽게 울어댔다. 이 덕분에 나는 잠도 못 자고 계속 뒤척거렸다. 그리고 별 꿈 아니라고 여긴 꿈의 어미 고양이가 생각나기도 했다.혹시 시끄럽게 울어대는 저 고양이중 한 마리가 그 어미 고양이는 아니겠지,라고.

6시 20분,아침이 다가왔다. 나는 한숨도 잠을 자지 못했다. 어제 10분이면 끝날 거라고 생각했는데, 고양이들이 무슨 새벽 내내 울어대고 싸우고, 미쳐버리는 줄 알았다. 피곤한 상태로 씻고 나오니 6시 35분, 아침으로 간단하게 스크램블을 먹고, 교복을 갈아입고 가방을 챙겨 나오니 7시 10분이었다.

아파트 입구를 빠져나와 주차장을 지날 때 차 밑에서 고양이가 자는 걸 보았다. 보려고 자세히 다가가니 다리에 상처가 나 있었다. 새벽에 하루 종일 울어대던 고양이인가 보다. 사람 잠 못 자게 하루 종일 울어대더니 이제는 혼자 태평하게 자고 있는 게 어이없고 괘씸했지만 잠을 자는 자세가 귀여워서 봐주기로 했다. 또한 꿈속에서 본 어미 고양이가 아니어서 다행이라고 생각했다.

그렇게 잠을 자는 고양이를 내버려 두고 귀에 이어폰을 꽂고 노래를 들으며 학교로 향했다. 아침에는 아이돌 노래보다 팝송을 들으며 학교에 간다. 그리고 무엇보다도 감성. 노래 분위기, 가사에 맞춰 상상하며 가는 게 재밌고 감성을 탈 수 있어서 좋다.

한참의 노래를 들으면서 학교에 다 와 갈 때 쯤, 학교 맞은편 편의점에 들어가는 익숙한 뒤통수가 보여서 학교로 가는 신호등에 서서 노려보았다.

얼마 안 돼서 뒤통수가 익숙한 사람이 편의점에서 나왔고, 그 사람 손에는 고양이 간식, 츄르 봉지가 들려있었다.

'고양이 엄청나게 좋아하나 보다...'

라고 생각하고 있었는데 자세히 보니 이호혁 이었다.

"허.."

어이가 없어서 나도 모르게 말을 걸고 말았다.

"야 너 나보고 말하고 다니지 말라면서 네가 티 내고 다니는 것 같다?"

"아 깜짝이야, 신경 쓰지 마!.."

"오늘도 정원 가니?"

"그렇다면 어쩔 건데"

"싸가지 하고는.. 같이 가자고."

"그러던가..."

그렇게 같이 학교 반으로, 정원으로 가는 내내 이호혁과 투덕투덕 거렸다.

내 인생에서 아빠 말고는 남자와 이렇게 대화를 많이 할 줄이야.

제3화 창과 방패

나는 누군가와 친해지려고 이렇게 까지 말을 걸어 본 적이 없다. 지난번 고양이를 빌미로 이호혁과 친해지려고 계속 말을 걸었다. 이호혁은 나를 귀찮게 여기거나 무시로 반응했다. 얘가 뭐라고 이렇게 까지란 생각이 들긴 했지만 얘가 싹수도 없을 뿐, 나쁜 애라고생각되지 않아서일까. 계속 말을 걸고 싶었다.

나는 틈만 나면 이호혁에게 말을 걸었다. 어떨 땐 동물에 관해 이야기를 꺼내거나 좋아하는 음악 등 별 이야기를 다 했다. 물론 자기가 끌리는 질문에만 간단하게 답만 해줬다. 이를 반복하다 보니 반에서 "창과 방패'로 소문이 났다. 내가 창이고 이호혁은 방패였다. 복도를 지나다닐 때마다"지유야 오늘은 방패 뚫었어?" 라고 다들 물어본다. 솔직히 부끄럽긴 했지만 그만큼 이호혁과 친해지고 싶어 소문이 마음에 들었다.

"야 친구 하자니까"

오늘도 어김없이 이호혁에게 친구 하자고 구걸 아닌 구걸을 했다.

"너 말고 이미 친구 있어."

"너 친구 없잖아.. 맨날 고양이.."

"야 입 안 다물어?"

이호혁이 다급하게 입을 막으며 나를 쳐다봤다.

"으읍으으으."

"아 진짜 적당히 해라."

이호혁이 벽으로 날 밀어붙였다.

나는 솔직히 놀래긴 했지만 굴하지 않고 이호혁의 눈을 쳐다 보며 말했다.

"야 이제 지치지도 않냐, 친구 하자고! 뭐가 그렇게 마음에 안 드는데"

"하아..."

이호혁은 한숨을 쉬었다.

"그 고양이 일은 나만 알고 있다고.."

이호혁은 잠시 고민하는듯한 얼굴을 하더니 이내 입을 열었다.

"친구 해."

"진짜? 너 무르기 없다?"

"대신 나 귀찮게 하지 마라, 그리고 애들 많은 곳에서 나 아는 척 하지 마."

"그럼, 친구 하는 의미가 없는데?"

"말대답하지.."

"너희 둘이서 뭐해? 둘이 무슨 사이야~?"

말이 끝나기 무섭게 반 애들이 반 문에 얼굴만 쏙 내밀며 말했다.

"아.. 진짜.."

이호혁은 귀가 빨개지기 시작했고,이내 반을 빠르게 빠져나갔다.

"지유야 무슨 일 있었어? 빨리 말해줘~!"

"아 그냥 오늘도 친구 하기 실패했어.."

반 애들은 실망한 얼굴을 하곤,자기들끼리 자리로 돌아가 이야기하기 시작했다.

"역시 절대 안 뚫리는 방패는 없다니까."

그렇게 난 남들 모르게 혼자 미소를 지었다.

점심시간이 끝나고, 학교가 끝나고 이호혁과 같이 하교하려고 이호혁을 기다렸다.

10분 뒤,이호혁은 가방을 메고 반에서 나왔다.

나는 그를 따라나섰고,학교 맞은편 편의점에 다다랐을 때 이호혁은 뒤돌았다.

"너 왜 자꾸 따라와?"

"따라가는 거 아니고 하교하는 건데."

" 거짓말 하지마라 따라오는 거잖아. "

"아니 친구면 같이 하교할 수 있는 거 아닌가.. "

나는 이호혁 말에 눌려 쭈굴 거렸다.

이호혁은 나를 5초 동안 쳐다보더니

"허.. 알아서 해"

라며 다시 앞을 보며 가던 길을 가기 시작했다.

이에 나는 왜인지 모르게 기분이 좋아졌다.

"응!"

제4화 길고양이 길들이기

이호혁이 전학해 온 지 2개월,5월 20일. 친구를 하기로 한 지 일주일,아직 말로만 친구지, 진짜 친구로는 생각하지 않는 것 같다. 마치 길고양이가 경계하는 것처럼? 그렇지만 길고양이도 언젠가 사람 손을 타는 법이다. 이호혁도 시간이 지나면 날 친구로 생각해줄 거다. 이것도 진짜 친구가 되기 위한 과정이라 여기고 나는 더 이호혁 을 귀찮게 할 것이다.

7시 36분 학교 도착, 반에 걸어가 도착했을 때 이호혁은 줄 이어폰을 귀에 꽂고 의자에 걸터앉아 만화책을 보고 있었다. 뭐가 그렇게 웃기고 좋아서 입을 한시도 가만히 못 있고 씰룩씰룩거리는지, 심지어 내가 앞문에서 자기를 보고 있다는 걸 인지하지 못하는 것 같다.

"뭐가 그렇게 웃겨서 씰룩씰룩 거리고 있어?"

"으악...깜짝이야.."

이호혁은 화들짝 놀라며 오른쪽 귀에서 이어폰을 뺐다.

"친구가 왔는데 할 말 없나?"

"없는데."

"친구가 왔는데 누가 인사 안해주나?"

"......................"

"아 무시로 대답하지 말고."

"난 친구가 없어서..."

"진짜 너무하네..."

조금 속상해서 구시렁 거렸다.

"진짜 귀찮다 너."

"무르기 없다고 했는데 누가 상처를 줘서 마음이 아프다."

"......어서와"

이호혁은 한숨을 쉬고는 인사를 했다. 저번에 하교를 같이할 때부터 지금까지 느끼는 거지만 내가 항상 자기 앞에서 쭈굴 거리면 마음이 약해지는 것 같다.

결국엔 할 거면서 왜 튕기는지. 진짜 너한테 관심이 없으면 무시하겠지만, 쥐똥만큼 이라도 나에 관해 관심 있어서한 관심이 있어서 그러는 거겠지, 라는 생각으로 나 자신에게 최면을 걸고 있다.

3,4교시가 지나고 점심시간이 찾아왔다. 점심메뉴가 별로여서 점심을 먹지 않고 매점에 들러서 피자빵 하나와 딸기 맛 우유를

하나 사서 운동장 벤치에 앉아서 하늘을 쳐다보며 빵을 먹고 있었다. 빵을 절반쯤 먹고 있을 때 운동장이 시끄러워졌다. 보니 남자애들이 축구를 하는 것 같았다. 오랜만에 축구 하는 거나 보자 싶어서 멍을 때리며 보고 있었다.

"지유야 사심 채우지 마."

밥을 먹고 내려온 절친 선은이가 내 옆에 앉으며 말했다.

"깜짝이야, 사심은 무슨 사심."

"너 남자애 복근 보고 싶어서 온 거 아니냐??"

"그건 너랑 쟤네 아니냐."

"들켰다."

잠깐 선은 이와 대화 하는 사이 여자애들이 몰려들었다.

"어휴 그런 게 뭐가 좋다고."

나는 정원에서 봤었던 노란색 고양이가 보고 싶어 운동장 벤치를 뜨려고 일어났다.

"야야, 3반 전학생 있어, 미쳤다."

다른 반 여자애들이 수군거리기 시작했다.

"뭐야, 너 간다며, 왜 다시 앉아?"

"조용히 해."

"에에~... 설마."

"입 다물어."

5분쯤 지났을 때 남자애들은 반 대항으로 경기를 시작한 것 같다. 경기가 시작되고, 다른 반의 점수가 높아지고 있을 때쯤 흥미가 떨어졌다. 지루해져서 멍을 때리고 있는데 여자애들이 소리를 지르기 시작했다. 보니 이호혁이 공을 받아 발로 차 골을 넣었다. 우리반 남자애들은 이호혁에게 어깨동무며,안으며 머리를 쓰다듬고 있었다. 걔 얼굴에서는 차가웠던 표정은 사라지고 봄에 꽃이 피듯 미소가 번지고 있었다.

"이녀석 좀 차네?"

덩달아 나도 모르게 웃음이 피어났다.

그 후로 이호혁은 두 골을 더 넣어 동점을 만들었다.

사실 난 축구 경기의 규정을 모른다. 처음에 아빠,동생이 볼 때는 왜 보나 싶었고,경기가 지루해 재미 없을 거라 생각했지만, 이제는 알 것 같다.

"재밌네"

그렇게 남자애들 축구 경기를 보고 있는데 바람이 불어왔다. 곧 6월이 찾아와서 그런지 더웠었는데 마침 타이밍이 좋았다. 불어오는 그 바람은 살랑살랑 춤을 추는 것 같이 부드럽고 시원했다. 그렇게 바람을 느끼며 눈을 감고 있었다.

"야 조심해!"

"야 김지유 피해!"

"응?뭐라고?"

'퍽'

'퍽'소리가 운동장 벤치에서 크게 울렸다. 그리고 내 주변 벤치에 앉아서 시끄럽게 소리 지르던 여자애들, 운동장에서 서로 자기한테 공 넘기라며 떠들던 운동장까지 분위기,소리까지 다 조용해졌다.

"야 너 괜찮냐..?"

아파서 멍을 때리다 누가 날 흔들어서 다시 제정신으로 돌아왔다. 날 흔드는 건 선은이와 이호혁 이었다.뒤에는 축구하던 남자애들, 벤치에서 소리 지르던 여자애들 모두가 뒤에서 날 걱정하는 눈,아니 그냥 아프겠다는 표정으로 쳐다보고 있었다.

"야 괜찮냐고!"

이호혁이 내 어깨를 잡으며 말했다."

"어.. 난 괜찮아..."

"괜찮기는 무슨!코피나 닦고 말해!"

이호혁이 짜증을 내며 말했다.

"야 나 얘 보건실 데려다줄게,너네끼리 해."

선은이와 이호혁에게 질질 끌려 보건실에 왔고, 나는 침대에 누워있어야 했다. 아까 공을 바로 맞은 후에는 정신이 몽롱해서 아프다는 느낌이 들지 않았지만, 정신을 제대로 차리고 나니 얼굴 전체가 아팠지만, 제일 아픈 건 코였다. 아파서 코를 만지고 있었는데, 보건 선생님과 이호혁이 커튼 열고 의자에 앉았다.

"코 아주 아프겠는데? 병원 가봐야겠다, 일단 선생님이 소독하고 연고 발라줄게"

"네.."

"담임 선생님께 연락드렸으니 지유는 쉬고 가고,호혁이는 조금 있다가 수업 들어가."

"네"

선생님이 커튼을 닫고 나가고 이호혁과 단둘이 남았다.정적이 흘렀다.

"선은이는..?"

"화장실 갔어."

"아... 응"

또 한 번 정적이 흘렀다.

"저기"

"응?"

이호혁은 우물쭈물하고 한숨을 쉬더니 이내 입을 열었다.

"미안, 사실 공 찬 거 나였어, 그치만 고의는 아니야.."

상황설명을 들어보니 골을 계속 넣어서 자기도 모르게 신나서 마지막 한 방을 세게 찼는데, 방향을 잘못 잡아서 내가 맞은 거라고 이호혁은 설명했다.

나한테 좀 미안했는지 안절부절까진 아니지만 고개를 푹 숙이고는 내 눈치를 보기 시작했다. 그 모습을 보니 강아지가 사고치고 주인한테 혼나서 눈치를 보는 것 같아 조금 귀엽게 느껴지고 웃겼다. 아까까지만 해도 내가 귀찮아 무시하고 한숨만 쉬던 애가 나한테 눈치를 보는 게 웃겨서 나도 모르게 크게 웃어버렸다.

"하하하!"

"뭐야 왜 웃는데..."

"아 그냥 이 상황이 웃겨서"

"..............."

이호혁의 귀가 빨개지기 시작했다.

"미안하면 나 소원 들어줘"

"무슨 소원?"

"나를 진짜 친구로 대해줘, 이 몸 너무 서운해서 말이지"

"……"

"이 고귀한 얼굴을 맞춰놓고도 무시하는 거냐, 내 얼굴 꽤 먹히는 얼굴인데 말이지"

"참나…"

이호혁은 조용히 웃기 시작했다. 그러곤 입을 열었다.

"진짜 어이가 없네, 그래 친구 해, 진짜 친구."

이호혁이 친구 선언을 말하자마자 5교시를 알리는 수업 종이 치기 시작해, 이호혁은 반으로 뛰어갔다.생각보다 이호혁과 진짜 친구를 먹어서 이호혁을 귀찮게 하는 것은 하루, 아니 4시간 만에 끝이 나버렸다.

비록 이호혁을 귀찮게 하기는 하루도 못 넘긴 채 끝나버렸지만, 그래도 이호혁과 진짜 친구가 되어서 기뻤다.

그렇게 시간이 흐르고 보건실에서 나와서 반으로 올라가 담당을 맡은 구역을 청소하고, 선생님이 반에 오셔서 종례하길 기다렸다. 반 문 앞에서 서성이며 기다리고 있는데 복도에서 누군가 내 이름을 부르며 날 향해 뛰어왔다.

"김지유 괜찮아?"

선은이가 푹 안아주며 말했다.

"그 전학생이 그런 거라며? 내가 때려줄게."

선은 이는 내 손목을 잡고 이호혁이 있는 자리로 다가갔다.

이호혁은 줄 이어폰을 귀에 꽂고 아침에 보던 만화책을 보고 있었다. 선은이는 자기의 책상에 있던 쿠션으로 이호혁을 때리기 시작했다.

"아니,뭔데? 왜 이러는데!"

"그냥 맞아."

이호혁은 상황 파악이 안돼서 한참을 선은이에게 맞았고, 상황이 종료 돼서야 파악했다.그렇게 반에서는 한참 동안 웃음꽃이 피어났다.

제5화 초여름, 기말고사 준비

이호혁이 '진짜 친구' 선언 이후 초여름이 찾아왔다. 날이 더워지고 나니 반 친구들과도 거리감 없이 친해졌다. 반에서는 나와 선은이,이호혁,구세원 이렇게 넷이 다닌다. 구세원은 우리 반 반장이며,내가 운동장에서 공을 맞던 날, 보건실에서 쉬고 있을 때 내 필기를 대신 해준 고마운 친구이다.

세원이와 이야기를 나누다 보니 같은 동아리란 사실도 알게 되었고,관심사, 취미가 같아서 이호혁과 친해진 날보다 더 빨리 친해졌다.

그리고 선은이와 이호혁에게도 소개해주어 지금 이렇게, 학교에서 같은 무리로 다니고 있다. 우리는 밥 먹으러 갈 때도, 이동수업이 있을 때도,집 가는 방향이 서로 달랐지만, 학교에서 나오는 순간에도 넷이 같이 나왔다. 학교를 나와서 선은이와 세원이에게 인사를 한 후 집 가는 방향이 비슷한 이호혁과 같이 신호등을 건너 편의점을 지났다. 가는동안 나는 이호혁에게 말을 걸었고 이호혁은 한 귀로 듣고 한 귀로 흘렸다.

길을 걷다 보면 가끔 우리 둘 다 말이 없어질 때가 있는데, 이때 어색함 보다는 편안한 기분이 들었다. 이호혁은 나와 '진짜 친구'가 되서 불편하지 않은 것 같아서 그런 것 같았다. 물론 나도 마찬가지다.

더 걸어가면 작은 문방구가 나오는데 거기서 이호혁과 나는 인사를 하고 각자 자기 집으로 향한다. 헤어지고 나면 항상 나는 귀에 이어폰을 꽂고 노래를 들으며 집으로 가곤 한다. 누군가와 같이 있다가 막상 혼자가 되어버리면 그렇게 외롭다. 불편한 상대라도 똑같다. 노래를 들으면서 가면 그나마 외롭다는 생각이 덜 들고, 기분이 한 층 더 높아지기 때문이다.

최근 들어, 학교가 끝나고 집으로 들어와 일기를 쓰기 시작했다. 그날 학교에서 무엇을 했는지,어떠한 일이 있었는지,급식으로 무엇이 나왔는지,급식이 맛없을 땐매점에서 무얼 먹었는지 등등 여러 가지를 적었다.

이렇게 하루하루 쓰다 보니, 그날에는 어떤 일이 있었고,기분이 어땠는지 다 알 수 있어서 내심 뿌듯했다.

이렇게 일기를 쓴 지 좀 지났을 때 곧 다가올 기말고사가 나를 반기고 있었다. 기말고사까지 남은기간은 4주, 4주 안에 모든 과목을 끝낼 수 있을까 고민하다 수학과 과학은 포기하려고

마음을 먹었다. 나는 수학과 과학을 제외하고는 남은 과목들의
성적은 어느 정도 나오는 편이다. 나는 중학교 2학년 때 학원을
끊은 이후로 수학과 과학은 중학교 졸업을 할 때까지 60점대로
끝을 내렸다.

그 후 고등학교에 들어와서는 수학과 과학은 떨어질 때로 다
떨어졌다. 중간고사는 이호혁과 친해지는 데 시간을 보내서 공
부를 평소 시험 볼 때보다 더 적게 해서 성적이 잘 나오지는 않
았다. 이렇게 가다간 수학과 과학이 밑바닥으로 떨어져 기어 다
니는 수준이 될 것 같아 인터넷 강의를 결재해서 보기 시작했
다.

하지만 역시나 중학교 때 다 놓아버려서 그런지 내가 지금 뭘
듣고 있는지, 졸리기만 하고 강의해주시는 선생님이 말하는 구
황작물로 느껴졌다. 그렇게 힘들어서 책상에 엎드려 선은이에게
호소하고있었다. 선은이는 듣는 둥 마는 둥 책상에 걸터앉아서
핸드폰을 하고 있었고, 몇분 안 지나서 세원이와 이호혁이 음료
수를 뽑아 자리에 돌아왔다.

"얘는 왜 죽어가냐?"

"수학이랑 과학 망했대."

"아직 시작도 안 했거든?"

"결론은 망한다는 거 아니냐고."

"......"

이 말을 끝으로 약 5초간의 정적이 흘렀다.

"지유야 우리 멘토멘티 할래?"

"멘토멘티?"

"응,내가 수학은 아직 네가 개념이 어떻게 잡혀 있는지는 모르지만, 과학은 이해하기 쉽게 알려줄 수 있어"

"역시 구세원,이름처럼 구원이네."

기말고사 4주를 앞둔 오늘부터 세원이와 방과 후 시간을 활용해서 멘토멘티가 시작되었다.

멘토멘티를 처음에는 세원이와 나, 이렇게 둘이 하려고 담임 선생님께 말씀을 드렸는데 선은이도 내 성적 못지않아 강제로 참여하게 만드셨고, 이호혁은 아무 말도 없었지만, 참여 하는거로 생각하고 넘어갔다.

그렇게 멘토멘티를 처음하는 날이 다가왔다. 오늘은 세원이가 학원에 가야 해서 길게는 못하고 학교 끝나고 방과 후 시간 50분을 활용해서 하기로 했다.

"지유야, 선은이는?"

"걔 학교 끝나자마자 밖으로 뛰어가던데…?"

"아… 도망갔다..어쩔 수 없지 뭐 우리끼리 하자."

.

.

.

"아니 멍청이야, 우주복사를 몰라?"

"..몰라."

"너 수업 시간에 잤냐?"

이호혁한테 혼났다.

"호혁아 화내지 마!.. 아직 시간은 많아."

"세원아…"

그렇게 이호혁과 세원이에게 혼나면서 2:1 과외를 들었다.

그렇게 시계의 시침이 5를 가리키고 방과 후 활동이 끝났다는 종이 울리기 시작했다. 세원이는 학원에 가야 한다고 해서 먼저 반을 떠났고 나와 이호혁만 반에 남아 있었다. 가방을 챙기고 이호혁과 집에 가려고 뒤를 돌아봤다.

이호혁은 햇빛이 들어오는 창문에 기대어 눈을 감고 이어폰으로 노래를 듣고 있었다. 웹툰에서만 보던 뻔한 남자 주인공의 자세, 뻔한 잘생겨 보이는 얼굴.

재수 없지만 잘생겨 보였다.

"재수 없게 잘생겼네."

"뭐라고?"

"집 가자고 멍청아."

나도 모르게 말이 튀어나왔지만 이호혁이 못 들은 것 같아서 다행이다.

"멍청이는 너 아니냐? 수학 39점"

"오늘도 살인을 참게 해주셔서 감사드립니다. 하느님."

"오늘도 살인을 참깨 해두셔서 갬섀드림미다 하느님~"

잘생겼다고 말한 거 취소다. 얼굴을 구기면서 말하는 거 보니까 잘생겼다는 생각이 내 뇌 속 어딘가 숨어버렸다. 우리반, 아니 우리 학교 전교생이 이호혁이 이러고 다닌다는 것은상상도 못 할 일이다.

이호혁이 잘생겨 보인다고 취소했던 일이 지나고 삼 주,이주, 일주일.

기말고사가 시작하기까지 이틀 남았다. 그동안 기말고사를 준비하면서 세원이와 이호혁에 도움을 받아서 수학과 과학을 계속 공부하고 있고, 이 외의 나머지 공부들은 틈틈이 시간이 날 때마다 하고 있다. 솔직히 완전히 집중해서 공부한 건 아니지만 그 어느 시험 때보다 보다 공부량도 많았고, 열심히 준비했다.

기말고사를 준비하면서 매일 아침 9시에 일어나서 아침밥을 먹고,씻고,가방을 챙기면 10시 30분.

집을 나서서 도서관에 도착하면 10시 50분, 세원이와 선은이, 이호혁이 먼저 와서 스터디룸을 잡아서 날 기다리고 있다. 스터디룸은 인기가 많아서 시험 기간엔 다 꽉 차 있어서 일찍 가야 한다. 도서관 스터디룸 이용 시간은 딱 3시간이라서 멘토멘티 활동을 하다 보면 3시간을 훌쩍 지나버리고 시계의 시침은 2를 가리키고 있다.

공부 하던 것을 정리하고 위층으로 올라가서 여자,남자 이용실로 들어가서 자리를 가방으로 맡아놓은 후 애들과 점심을 먹으러 구내식당을 가려고 엘리베이터를 기다리고 있었다. 엘리베이터를 기다리고 있었는데 뒤에서 다른 학교를 다니는 여자애들이 자기들끼리 속삭이면서 말했다.

"야,저 남자들 너무 잘생긴 것 같지 않아?"

"아 그니까,우리학교 남자 애들만 보다가 잘생긴 사람들 보니까 눈 정화 싹 된다."

"아 근데 나는 저 뿔테안경 번호 따고 싶다,이왕 따볼까?"

"나는 저 흰색티, 바로 가보자고."

"근데 까이면 어떡해..?"

"야, 벌써 그런 걸 생각해? 저런 잘생긴 사람을 꼬고 사귀는 거 붙어 생각하라고~"

"가보자고"

마음 한 편으로는

"그치,내 친구들이 좀 잘생기긴 했지~"

이러다가도

"내 친구들 절대 못 보내,절대로."

이런생각을 계속하고 있었다.

"저기요,친하게 지내고 싶은데 혹시 전화번호 주실 수 있으세요?"

아직 생각하고 있었는데 벌써 다가와 버렸다. 좀 늦게 오지, 멀리서 쳐다보면서 이호혁한테 붙으면서 놀리려고 했는데. 아쉽다.

"아 저 여자친구 있어서 그건 안 될 것 같아요, 여자친구가 질투가 많은 사람 이라서…"

선은이와 나는 눈을 휘둥그레 뜨면서 세원이와 이호혁를 쳐다봤다. 저 성격에 여자친구가 있었나, 세원이라면 있을 것 같기도, 하긴 저 얼굴에 없는 것도 이상하지.. 라는 생각을 동시에 하면서 지켜보고 있었다.

"아.. 그냥 안부인사나 친구로 지내고 싶어요, 여자친구도 여기 없으신 거 같은데 그냥 슬쩍 주시면 안 될까요..?"

여자애들 목소리에서 간절함이 느껴지기 시작했다. 이호혁은 흥미롭다는 듯 여자 애들을 보기 시작했고, 세원이는 무언가를 생각하고 있는 것 같았다.

그러다가 둘이 서로 보더니 씩 웃으면서 나와 선은이에게 다가왔다.

그러고는 뒤에서 안으며 나와 선은이 키에 맞추고는 얼굴에 볼을 맞대곤 씩 웃으며 말했다.

"미안하지만 제 여자친구가 질투가 많아서 안될 것 같아요."

"아 뭐야… 이럴 거면 왜 받아준 거야…."

여자애들은 그렇게 도망가듯 가버렸고, 세원이와 이호혁은 익숙한 듯 신경 안 쓰는 것 같았고, 자기들끼리 화장실에 간다며 가버렸다. 그렇게 엘리베이터 앞엔 나와 선은이만 있었다.

선은이와 나는 한참을 엘리베이터만 쳐다보고 있었다. 한 참을 멍하니 있다가 선은이가 먼저 정신을 차렸는지 나를 붙잡고 흔들기 시작했다.

"김지유!정신차려!"

"어..어?"

"아까 쟤네 왜 저런 거래… 사람 놀라게.."

"응…."

"어머 너 왜 얼굴 빨개지는? 너 쟤 좋아해?"

"뭐라고? 전혀 안 좋아해!"

솔직히 이호혁이 뒤에서 안고 키를 맞춰 얼굴을 맞댔을 때 심

36

장이 터지는 줄 알았다. 뒤에서 안았을 때 풍겨오는 섬유 유연제 향기, 스터디룸에 틀어져 있던 에어컨 때문에 차가워진 볼, 능글맞은 낮은 목소리. 평소라면 아무 감정 안 들었을 텐데, 이 일로 이호혁이 더 잘생겨 보였고, 계속 신경 쓰였다.

그리고 방금 일어났던 일에서 이호혁이 빈말로 했던 말도 계속 신경 쓰인다. 앞으로 이호혁을 어떻게 대할지, 이 감정이 사라질지, 계속 이어질지. 선은이는 세원이냐 했던 행동이 신경 쓰이지 않나 보다. 옆에서

얘네 언제 오느냐고 짜증 부리는 걸 보면 아무 생각 없어 보이는 것 같다.

그렇게 한참 뒤 이호혁과 세원이가 화장실에서 나왔다.

"아니 너희는 화장실을 만들어서 다녀왔냐?"

"미안, 세원이가 똥 마렵다고 해서 기다려 주느라"

"호혁아 그게 무슨…?"

'아오 똥은 네가 쌌겠지.. 배고파 죽겠는데.. 오늘 밥은 너희가 사!'

.

.

.

그렇게 점심을 먹고 나서 카페에 들려서 커피를 사서 다시 도서관으로 향했다.도서관에 도착해서 엘리베이터를 기다리고 있는데 다른 학교 학생들이 몰려왔다. 확실히 시험기간이니까 학생들이 많은 것 같다. 선은이랑 세원이는 엘리베이터에서 압사

당하기 싫다고 계단으로 올라갔다.

엘레베이터를 기다리는 사람은 나와 이호혁, 뒤에 수많은 학생이었다. 기다리면서 저 남자가 내 취향이라는 등, 번호를 얻어 본다는 수많은 소리가 들렸다. 저 소리만 수백 번 들었기에 사람이 얼마나 많은지 궁금해서 뒤를 돌아보려고 하자마자 엘리베이터가 1층에 도착했다는 소리가 나서 이호혁과 엘레베이터를 탔다.

엘레베이터를 타는 사람이 너무 생각 이상으로 많아서 나는 계속 뒤로 갈 수밖에 없었다. 결국에는 사람이 너무 많이 타서 이호혁과 강제로 밀착하게 되었다. 이호혁은 구석 벽에 붙어 있었고, 나는 이호혁 바로 앞에 붙어 있어서 아까 그 자세와 똑같아졌다.

내리는 사람은 별로 없고, 타는 사람만 늘어나서 점점 자세가 불편해지고 사람들한테 팔이 눌려서 점점 아프기 시작했다. 이호혁이 눈치를 챘는지 귀에다가 속삭였다.

"불편하면 뒤 돌아, 그럼 자세도 팔도 덜 불편할 거야."

이호혁 말 대로 뒤를 돌았는데, 거짓말 처럼 자세가 편해지긴 했는데 자세가 너무 신경 쓰였다. 이호혁과 껴안는 자세가 돼버렸다. 아까 이호혁이 했던 말이 떠올라서 얼굴이 후끈후끈해져서 얼굴을 도저히 못 들어서 고개를 아래로 떨어뜨렸다.

"불편하지만 좀 참아."

"응…"

윗층으로 올라갈수록 사람들이 하나,둘 빠지기 시작했고, 어느

덧 엘리베이터에는 나와 이호혁 둘만 남아있었고, 나는 자세에 온 신경이 가 있어서 엘리베이터에 우리만 남아있다곤 생각하지 못했다.

"야 사람 다 내렸어.."

"어..어? 그러네….미안…"

한순간에 이호혁과 어색해졌고, 엘레베이터에서 내렸음에도 공기는 무거웠고 먼저 계단으로 올라간 세원이와 선은이가 우릴 기다리고 있었다.

"지유 압사 안 했네?"

"당연하지,날 뭐로 보는 거야!"

"이 몸이 막아줘서 압사 안 당한 거라고,감사하게 여기도록."

"뭐라는 거야…"

선은이의 장난과 이호혁의 말에 어색한 상황은 넘어갔지만, 앞으로 이호혁을 보면 방금 있었던 일들이 생각날 것 같아 얼굴이 빨개 질 것 같다. 이제 공부하려고 여자 전용 이용실에 들어와서 영어 문제집과 교과서를 폈다. 공부를 하다 보면 엘리베이터에서 있었던 일들이 자연스럽게 생각나지 않겠지 생각하며 영어 교과서 본문을 읽었다. 하지만 머리에 쉽게 들어오지는 않았다. 같은 문장을 몇 번을 읽는 것인지, 진도가 앞으로 나아가질 않는다. 그래서 영어는 일단 다시 가방에 넣어두고, 아침에 멘토 멘티를 했던 지구과학을 다시 복습하는 겸 진도 나가는 겸 가방에서 꺼냈다. 지구과학은 아까 공부했으니 집중 잘 되겠지 싶었지만, 역시나 아니었다.

"하,진짜 왜 이러는 거지"

결국 집중이 되지 않아서 30분도 지나지 않아 이용실을 나와서 생각정리를 했다. 아까 여자친구부터 시작해서 엘리베이터에서 있었던 일까지.

그리고 기분이 이상했고 두근두근 걸린다, 또 이호혁과 어색하다. 설마 해서 인터넷에 들어가 검색창에 이 기분이 뭔지, 이러한 일들이 있었는데 내가 뭘 해야 하는지를 검색했지만 나에게 해답을 주는 거는 없었다. 계속해서 인터넷창을 내리던 도중 한 글을 발견했다. 그 글은 다른 글과는 달리 나의 상황, 내가 느끼는 감정이 비슷해서 그 글을 꼼꼼히 읽었다. 글 밑에 해답을 쓴 사람이 있었는데 그 사람은

"처음에는 그 감정을 모릅니다.이게 맞는지, 아니면 내가 착각을 하고 있는지.상대방은 아닐 수 있을지 모르겠지만 나 혼자서 어색해하고 상대를 떠올리게 됩니다.그러다가 문득 그 감정을 깨닫는 날이 옵니다.상대를 원하는 맞수가 나타난다 단가, 시간이 흘러서 깨닫게 해준다든가.하지만 시간이 사랑을 해결해 주진 않아요.감정을 몰라도.이에 대한 노력은 당신에게 달려 있습니다.그리고 제가 생각하기에 당신은 곧 있으면 그 사람을 좋아하게 될 것 같네요.힘내세요"

"무슨 소리야 이게.."

생각을 다 정리하고 난 뒤 다시 이용실에 들어와서 집중이 안 되더라도 꾹 참고 오늘의 할 공부량을 다 끝냈다. 시계를 보니 8시 27분, 억지로 집중을 하려고 해서 그런가 머리가 점점 아

파지기 시작했고, 조금만 자려고 선은 이에게 20분 뒤에 깨워달라고 말하려고 옆을 보았다. 선은이는 과학 문제집을 시작해서 동아시아사 문제집까지 쌓아 이미 그것을 베고 자고 있었다. 결국에는 자진 못했고 20분가량 눈감고 엎드려 있었다.

눈을 감고 20분가량 엎드려 있었을 때 휴대전화기에서 진동이 울리기 시작했다. 확인 해보니 세원이와 이호혁 이었는데 공부할 만큼 했으면 집에 가자는 연락이었다 .나는 머리도 아파지고 집중이 잘 안 될게 미래에 보이니 알겠다고 연락을 보내고 선은이를 깨우고 가방에 문제집,담요등 짐을 챙기고 선은이와 이용실을 나섰다. 이용실을 나가니 세원이와 이호혁이 앞에서 우리를 기다리고 있었다.

집을 갈 때 엘리베이터는 다행히 아까만큼 사람이 많지 않아서 한적하게 갈 수 있었다. 하지만 이게 문제가 아니다. 지금은 이렇게 어색 하지 않지만, 도서관을 나와서 걷다 보면 세원이와 선 이는 집 방향이 같고, 나와 이호혁도 서로 집 가는 방향이 같아서 둘로 나눠서 가야 한다는 것이다. 이호혁은 몰라도 나는 아까 도서관에서 있었던 일 때문에 어색할 거 같아 걱정을 한 가득하다.

그렇게 선은이와 세원이는 가버리고 나와 이호혁만 남아있다. 이일이 일어나지 않았을 평소라면 신경 쓰지 않고 이호혁에게 장난을 치며 갔을 텐데 지금은 서로 아무 말도 없이 나는 이호혁 눈치를 보며 가고 있다. 하지만 나는 또 이런 어색함으로 만들어진 어수선하고 조용한 분위기는 또 싫어서 결국에는 어색함을 던져버리고 먼저 말을 꺼냈다.

"오늘 너무 피곤하다, 머리가 너무 아파."

"그거 자서 그런 거야."

"안 잤거든? 너 오늘 나 잔 거 본 적 있냐?!"

"아까 나와서 딴짓 하는 거 봤지."

"집중 안 돼서 잠깐 나온 거야."

이 말을 끝으로 이호혁이 코웃음을 치고 다시 어색함이 흘렀다. 이호혁은 길을 걸으면서 휴대전화기를 하고 있었고, 나는 계속 땅만 보며 길을 걸었다. 이 어색함을 이길수 없었던 나는 엄마한테 몰래 문자를 보내 급한 일이 있는 척 전화를 해달라고 부탁했다. 문자를 보내자 몇초 뒤 이호혁이 먼저 입을 열었다.

"아까 있었던 ㅇ.."

"띠르르링"

내 휴대전화기에서 전화벨이 울렸다. 엄마였다.

"이호혁 뭐라고?"

"아니야, 얼른 어머니 전화받아."

엄마한테 전화하라고 부탁하라고 한 건 나였지만 이호혁의 뒷말이 궁금했다.

"뭔데, 빨리 얘기해봐."

"아무것도 아니니까 빨리 전화받아."

아쉬웠지만 엄마의 전화를 받았고, 엄마는 내가 말한 대로 빨리 오라고 했다. 엄마와 전화를 하면서 길을 걷다 보니 어느덧 이호혁과 헤어져야 했다.

"잘 가 내일 학교에서 보자."

이호혁이 먼저 잘 가라고 얘기했다.

"너도 잘 가고 학교에서 봐."

이호혁에게 인사를 하고 집까지 뛰어갔다. 집에 막 도착했을 땐 엄마가 반겨주었다.

"애, 뛰어왔어? 얼굴을 왜 이렇게 빨개?"

"그게 좀 더워서…"

방에 들어오자마자 침대로 뛰어들었다. 침대 옆에 있던 탁상 위에 있던 거울로 얼굴을 확인했다. 얼굴을 엄마 말대로 잘 익은 사과처럼 빨갰다. 얼굴을 만지니 핫팩을 만졌던 손처럼 뜨거웠다. 거울을 침대 옆으로 던지고 천장을 한참 동안 바라봤다. 아까 이호혁이 나에게 인사를 할 때 벽에 몸을 기대며 나를 바라보고 왼손을 들고 웃으며 인사를 했다. 평소에는 한 번도 그런 적 없던 애가 갑자기 그러니 당황했다. 당황과 동시에 동화 '신데렐라'에 나오는 12시를 알리는 시계가 '댕댕' 울리는 거 같이 심장이 '댕댕' 울렸다.

"나 진짜 왜 이래..?"

이 정신머리론 공부를 더는 할 수 없어서 침대에서 일어나 샤워를 했다. 하고 나오니 시간은 10시 19분. 침대에 누워서 또 한참을 천장을 바라보며 넋 놓았다. 머리속이 뒤죽박죽 섞인 느낌이었다. 시험이 코 앞인데 지금 내가 이 감정을 느끼고 있는 게 맞는지.물론 시험하곤 상관없지만 이호혁을 보면 아까 도서관에서 있었던 일들이 생각날 것 같다.

그렇게 밤새 뒤죽박죽 섞인 머리를 정리하며 생각을 끝마쳤다. 시험까지 2일 남았고, 이 감정이 일시적일 것 이고 시험 때문에 잠시 감정이 이상해 진 것이니 이호혁을 피해서 다니다 보면 사라질 것 같다고 생각했고, 기말고사에 집중해야 하는 것도 있어서 이호혁을 피해 다니기로 마음을 먹었다.

　　다음 날 아침, 월요일이 찾아왔다.드디어 내일이면 기말고사 시작이다. 그것과 같이 오늘부터 기말고사 끝날 때 까지 이호혁을 피해 다녀야 한다. 이호혁 한테는 미안하지만, 기말고사도 지금까지 공부를 해온 만큼 잘 봐야 하고, 이 감전으로 걔와 사이가 나빠지길 원하지 않았기 때문이다.

　　평소라면 집에서 7시10분에 나갔겠지만, 이호혁은 항상 학교에 일찍 오기 때문에 마주치면 분명히 오늘 하루 공부에 집중하지 못할게. 미래에 그려지기 때문에 일부러 10분 늦게 나갔다.

　　학교를 가는 내내 마음이 착잡했다. 땅만 보면서 걷다 보니 학교에 도착했고, 반에 가까워지니 반 친구들이 떠드는 소리가 들리기 시작했다. 뒷문에서 고개를 내밀고 반을 살펴봤다. 이호혁은 노래를 들으면서 만화책을 보고 있었고, 세원이는 이호혁 앞자리에 앉아 몸을 돌리고 영어단어를 외우고 있었다.선은이는 아직 오진 않았는지 보이지 않았다.

　　조용히 반에 들어가려고 발을 내딛는 순간 뒤에서 누군가 나를 확 끌어 앉았다.

　　"우리 지유 오늘은 늦었네~!"

　　뒤를 돌아보니 선은이였다. 선은이는 매점을 다녀왔는지 손에

젤리를 한 움큼 쥐고 있었다.그러곤 세원이와 이호혁이 있는 자리까지 질질 끌려갔다.

"아아!선은아 나 목…!

자리에 막 도착했을 때 킥킥 웃는 소리가 들렸다. 앞을보니 세원이와 이호혁이 킥킥거리며 웃고 있었다.

"웃지 마라…"

이호혁은 뭐가 그리 좋은지 손으로 입을 가리며 웃고 있었다. 아무리 웃긴 걸 봐도 웃지 않던 얘가 뭐가 그리 웃기다고 웃는지. 세원이도, 선은 이도, 나도 모르게 웃어버렸다. 시작 하자마자 이호혁을 피해 다니기는 실패인 것 같다.

왜 항상 나는 무언가를 시작하면 바로 실패하는가. 분위기가 이렇게 된 거 이호혁을 피해 다니는 건 무리 일 것 같고, 차라리 로봇,AI처럼 딱딱하게 대하는 게 나을 것 같다. 그 이유는 학교와서 생각난 게 이호혁 뒷자리가 내 자리라서 피하기도 어려 울 것 같다.확실히 머리가 뒤죽박죽 섞인 상태에서 생각하니 뒷일, 미처 생각하지 못한 부분도 이제 하나하나씩 떠오르기 시작했다. 환경이 달라져야 그에 맞는 일들이 생각이 난다.

내일이 바로 기말고사 기간이라 1교시부터 자습이었다. 1교시는 어젯밤을 새서 잠을 못 자 피곤해서 1교시 선생님께서 교실 앞문으로 들어오시는 거 까지만, 기억이 났고, 그 뒤로는 잠이 들어서 기억이 나지 않는다. 중간중간에 누가 내 볼을 콕콕 누르는 느낌이 났는데, 선은이가 장난치는 줄 알고 그냥 무시하고 마저 잤다.

1교시 쉬는 시간 종이 쳐서 눈을 떠보니 선생님은 이미 반을 나가셨고, 선은이는 옆에서 자고 있었고, 세원이는 이호혁과 대화를 나누고 있었다. 들어보니 이호혁이 보던 만화책 이야기 같았다. 너무 졸린 나머지 나는 둘의 이야기를 듣다가 다시 잠들어 버렸다.

몇분쯤 흘렀을까, 눈을 떠보니 수학 선생님께서 들어와 계셨고 반 친구들은 자거나 자습을 하고 있었다. 선은이는 아직도 자고 있었다. 현재 시각은 9시 52분, 18분 뒤면 2교시가 끝난다. 나는 충분히 잤으니 2교시 쉬는 시간이 오기까지 잠을 깨고 공부할 책을 꺼내놨다. 선은이는 무슨 꿈을 꾸길래 옆에서 꼼지락거렸고, 나는 멍하니 이호혁의 등만 바라봤다.

멍을 때리다 보니 2교시가 끝났다는 종이 울렸다. 멍을 때린다는 것이 이렇게 공부를 하지 못할 정도로 때리면 안됐었는데, 속으로 울고 있었다.

"야 잘 잤냐? 아주 코골이로 클래식을 연주 하더만."

이호혁이 뒤돌며 말했다. 그리고 선은이 자리에 있던 작은 손잡이가 달린 거울을 들고 내 얼굴을 비추면서 입을 열었다.

"얼굴에도 쓰여 있다."

거울을 자세히 보니 헝클어진 머리, 볼에는 손 때문에 빨갛게 자국이, 또 침을 흘린 자국까지. 당황스럽고 이호혁에게 이런 모습이 보였다는 게 창피하고 짜증이 났다. 그래서 나도 모르게 이호혁에게 짜증을 내고 말았다.

"아 어쩌라고!, 짜증 나게 하지 마."

말을 하는 순간 아차 싶었다. 이렇게 까지 말하려고 한 건 아니었는데. 나는 그 자리에서 일어나서 뒤도 안 돌아보고 반을 나와서 화장실에 들어갔다. 들어가서 헝클어진 머리와, 얼굴을 정돈하며 후회를 했다.

"아 진짜 아침부터 제대로 되는 일이 없어.."

밤새 고민했던 일도 학교에 오자마자 실패하고, 첫 번째 계획 실패해서 두 번째로 세운 차갑게 대하기 계획도 실패했고, 더군다나 아무것도 모르는 이호혁에게 짜증이나 내버리고. 진짜 너무 최악이다.

반에 다시 돌아오니 이호혁은 없었고, 반 친구들과 세원이,선은이만 남아 있었다.

"세원아, 이호혁 어디 갔어?"

조심스럽게 세원이 한테 물었다.

"아 호혁이 담임 선생님께서 부르셔서 잠깐 교무실 갔어."

마침 잘됐다. 화장실부터 반에 도착 할 때까지 이호혁 얼굴을 어떻게 보나 싶었는데, 이왕 이렇게 된 거 다시 첫 번째 계획으로 돌아가 피해 다녀야 겠다. 수업시간을 빼곤 나머지 시간은 쉬는 시간이 종 치자마자 반을 빠르게 나가서 이호혁이랑 마주칠 틈이 없었다. 점심도 먹지않고 매점에서 빵 한 개를 사서 정원에서 먹었다. 그때 도서관에서 이호혁이 그러지만 않았더라면, 아니 내가 설레지만 않았다면 이렇게까지 피해 다니지 않았을 텐데.

나는 집에 가는 순간 까지도 집에 급한 일이 있다며 먼저 학교에서 나와서 택시를 타고 집까지 갔다. 기말고사 끝날 때 까진 잘 피해 다닐 수 있을 것 같다. 그 후는…. 미래의 내가 알아서 하겠지 뭐.

6월 27일, 대망의 기말고사가 시작되는 날. 어제 학교에서 급하게 집에 온 후 잡생각을 하지않게 오늘보는 과목을 마지막으로 정리 한 후 일찍이 침대에 누웠다. 하지만 침대에 눕자마자 잡생각이 떠올랐고 결국 잠을 4시간 밖에 자지 못했다.

학교에 도착하니 7시 30분, 복도는 평소와는 다르게 고요했고, 반에 도착하니 이호혁 혼자 있었고, 엎드려서 잠을 자고 있었다. 그래서 나는 조용히 뒷자리 앉아 이호혁의 등을 바라봤다.

갑자기 무슨생각으로 그랬는지는 모르겠지만, 나는 자리에서 일어나 이호혁 옆으로 갔다. 가서 곤히 자고있는 이호혁의 앞 머리카락을 살짝 쓸어 넘겼다.

"생각보다 속눈썹이 길구나.."

이 말을 한 뒤 이호혁이 인기척을 느꼈는지 몸을 뒤척이기 시작했고, 나는 깜짝 놀라서 반을 뛰쳐나갔다. 반 문을 지나자마자 이호혁이 깼는지 목소리가 들렸다.

"…음?"

그렇게 반을 뛰쳐나온 나는 화장실로 들어갔다. 나는 빨개진 얼굴을 진정 시키려고 차가운물을 틀어 세수를 했다.

"하.. 오늘 시험이야 정신차려…"

약 5번가량 얼굴에 차가운물을 끼얹고, 겨우 진정이 되어 반으로 다시 돌아갔다. 돌아가보니 반 친구들은 자리에 앉아서 교과서와 각종 문제집을 보고 있었다. 이호혁도 일어나서 오늘 볼 과목들을 정리한 노트들을 읽고 있었다.

얼마 뒤, 시험을 알리는 예비종이 울리기 시작했고, 반 애들은 해당 시험자리에 가서 앉았다. 1교시는 국어였다. 국어는 무난하게 넘어갔고, 2교시는 일본어 였는데 일본어는 자신이 있어서 쉽게 풀렸다.

대망의 3교시, 수학이다. 수학은 이호혁과 세원이랑 멘토멘티를 하며 개념을 잡았고, 문제집에 있는 문제까지 풀 수 있는 정도까지 되었다. 그러고 세원이 말에 따르면 우리학교 시험문제는 너무 쉬워서 중학생도 풀 수 있다고 해서 나도 충분히 풀 수 있다고 말했다.

몇분뒤 시험 시작을 알리는 종이 울렸고, 시험지를 뒤집는 소리와 샤프로 수학문제를 푸는소리가 반에 퍼지기 시작했다. 멘토멘티 활동으로 드디어 풀 수 있는 문제가 열문제가 넘어갔다. 수학문제는 총 20문제였고 그중 10문제를 풀었다. 풀 수 있는 문제를 다 풀고, 니마지는 다 로또 형식으로 찍었다. 나는 시험지 뒷면에 낙서를 하다가 대각선에 앉아 있는 이호혁을 곁눈질로 바라봤다.

이호혁은 5분 남았다는 종이 울리기 전까지 손에서 샤프를 내려 놓지 않았다. 종이 울린 후에야 마킹을 하기 시작했다. 항상 앞에서만 봐서 그런가 몰랐는데 이호혁 속눈썹이 길다는걸 알고 나니 이젠 계속 그렇게 보였다.

"땡동댕동"

종이 울리기 시작했고, 기말고사 첫 날이 끝났다. 애들은 각자 짐을 챙기고 반을 빠져 나가기 시작해다. 나도 이제 집을 가려고 준비를 하고 있었다.

"지유야 우리 떡볶이 먹고갈래?"

"떡볶이…?"

"응, 이호혁이랑 구세원이랑."

"아니야, 너네끼리 먹어 나 피곤해서 먼저 집에 갈게."

선은이가 옆에 와서 물었다. 평소라면 좋다라고 말했겠지만, 옆에있던 이호혁과 눈이 마주쳐 버려서 거절을 해버렸다. 그리고 아까 이호혁 앞 머리카락을 쓸었던게 생각나 얼굴이 붉어졌다.

"나 먼저 가볼게…!"

나는 그 자리를 황급하게 빠져 나왔다.

"지유 어제부터 왜 그러지…"

그렇게 나는 기말고사 두번째 날, 세번째 날도 이호혁을 피해 다녔다. 시험이 끝나면 쉬는시간에 화장실에 간다던가, 다른반에 간다던가 등. 이호혁도 내가 자기를 피해 다닌다는 걸 눈치챘을거다. 이제는 내가 피하지 않아도 자기가 먼저 피하는 것 같다. 나는 손절 당해도 할 말이 없다.

6월 30일. 대망의 기말고사 마지막날. 나는 평소와 같이 학교에 등교를 했다.오늘은 반 친구들도 일찍이 반에 와 있었고, 이호혁도 반에 교과서,문제집을 보고 있었다. 나도 잡생각을 비우고 자리에 앉아 교과서와 문제집을 봤고, 얼마 지난뒤 시험 시작을 알리는 종이 울리기 시작했다.

마지막날 시험은 영어와 지구과학, 생활과 윤리 였다. 이 세 과목도 무난하게, 평소대로 시험을 쳤고, 모든 시험이 끝났다. 반 애들은 시험이 끝났다는 기쁨에 빠르게 반을 빠져 나갔고, 반에는 소수의 인원만 남아 있었다. 세원이는 반에서 채점을 하고, 선은이는 친구들과 놀러 갈 계획을 짜고 있었다. 이호혁은 먼저 집에 갔는지 보이지 않았다. 나도 집에 가려고 가방을 챙겨 반에서 나왔다.

복도를 걸으며 여러반을 지나쳤다. 다들 왜 이리 빠른지, 우리반을 제외 하곤 아무도 없었다. 마지막반인 8반을 지나가려고 할 때 뒤에서 무언가 나의 가방을 뒤로 당겼다. 나는 너무 놀라서 아무말도 못했고, 8반에 들어와 있었다.

"너 왜 나 피하냐?"